英国演化生物学家、BBC（英国广播公司）科普节目主持人

BEN GARROD

给孩子的恐龙书

［英］本·加罗德 著　方琳浩 译

三角龙

中信出版集团·北京

图书在版编目（CIP）数据

三角龙 /（英）本·加罗德著；方琳浩译 . -- 北京：
中信出版社，2019.1
（给孩子的恐龙书）
书名原文：So You Think You Know About
TRICERATOPS？
ISBN 978-7-5086-9782-6

Ⅰ. ①三… Ⅱ. ①本… ②方… Ⅲ. ①恐龙 - 少儿读
物 Ⅳ. ① Q915.864-49

中国版本图书馆 CIP 数据核字 (2018) 第 265645 号

三角龙
（给孩子的恐龙书）

著　　者：[英]本·加罗德
译　　者：方琳浩
出版发行：中信出版集团股份有限公司
　　　　　（北京市朝阳区惠新东街甲 4 号富盛大厦 2 座　邮编　100029）
承　印　者：北京画中画印刷有限公司

开　　本：880mm×1230mm　1/32　　　　印　　张：3.375　　字　　数：65 千字
版　　次：2019 年 1 月第 1 版　　　　　　印　　次：2019 年 1 月第 1 次印刷
京权图字：01-2018-6995　　　　　　　　广告经营许可证：京朝工商广字第 8087 号
书　　号：ISBN 978-7-5086-9782-6
定　　价：38.00 元

出　　品：中信儿童书店
策　　划：中信出版·神奇时光
策划编辑：韩慧琴　邵　安
责任编辑：韩慧琴
装帧设计：灵思舞意　刘翠微

版权所有·侵权必究
如有印刷、装订问题，本公司负责调换。
服务热线：400-600-8099
投稿邮箱：author@citicpub.com
网上订购：zxcbs.tmall.com
官方微信：中信出版集团
官方网站：www.press.citic

感谢父母

一直帮我树立自信心

本·加罗德博士是一位特别的资深极客，在一周的时间里，我在电话上询问了他很多新奇的生物学问题，他每个都能答上来。阅读这本书的小读者能遇到这样一位好老师，真的是太幸运了。

科学渗透在我们的生活中。所有事物的运转都离不开科学，那些杰出的科学家和技术员是世界上最厉害的人。

序

史蒂夫·巴克肖博士

研究古生物和恐龙不仅仅是发掘地下的化石，更多的是帮助我们了解地球，认识很久以前生活在地球上的各种生物。本·加罗德博士将还原各种生物，带你穿越，让你能够见到过去，看到未来。变聪明是一件好事情，小读者们要热爱自己心中的那个极客，探索这个有趣而复杂的世界。

让我们开始极客之旅吧！

自序

Hey Guys

"你长大后想做什么？"

我以前一直很讨厌这个问题，现在也依然不喜欢。有答案固然好，但是当你没有想好时，大人们总会逼着你做出回答。我小时候想当一个海洋生物学家。后来又希望成为古生物学家，去研究动植物化石和已经灭绝的生物。之后又希望当一名医生，专治怪病。我这人挺奇怪的，是吧？更奇怪的是我老弟，他想变成一辆警车，不是警察哟，而是警察开的汽车。当然最后他没有变成警车，我也没能成为病理医师。因为在我 17 岁时，我改变了主意，并且开始认真思考我将来要做什么。

"你热爱什么？"当我母亲问我这个问题时，我回答说喜欢制药。她说："你只是喜欢胡乱配药方而已，重新思考一下你真正喜欢什么。"这一次直接明了：我喜欢大自然。她告诉我，那就放手去做吧，从事你喜爱的事物。找一个能够让你每天都很开心的，自己热爱的工作吧。

我一直记得我母亲教导我的：生活没有明确的计划也不要慌张，人生就像旅程，面前会有很多道路，你不知道这些道路分别通向哪里。只有走过这条路，去探索，去尝试，才能得到答案。于是我一直这样做，我换了很多工作，我为去世的人化妆，做过服务员，还研究过鲨鱼，跟踪过北极熊，拯救过大猩猩，参与过寻找恐龙、化石以及机器人的电视纪录片，在动物园当过饲养员。现在的我，正在一所大学为小读者们写这本关于恐龙的书籍。我曾经去过南美洲、加勒比，横跨大西洋，前往亚洲。我永远也不知道下一步会怎样，因为谁也不知道未来会如何。

我希望你也和我一样，多去尝试不同的事物，从中找到心之所属。也许你想拯救濒危的老鹰，那就赶快去

观察鸟类吧。也许你想设计机器人，那就学习如何焊接电路吧。如果想成为古生物学家，就带着笔记本去观察化石吧。科学就是这样，你不会获得所有的答案，常常还会和自己的计划背道而驰，但这些都没关系。探索科学的乐趣就在于它是一次神奇而惊险的旅行，你无法想象自己会有多么棒的收获。

我想以活泼的方式写一套丛书，展示科学前沿。一本书介绍一种恐龙，关于它们的解剖结构、生活习性和生活环境、生存的年代和地点、恐龙的近亲以及它们的演化过程。古生物学还有很多事情需要研究，我们已经发现的事物也一直在变化。这也是它的神奇之处，它好像一个谜，要一直探索。科学家们每天都有关于技术和化石的新发现，这也使得古生物学能不断向前发展。希望你能喜欢《三角龙》这本书，三角龙可是最酷的一种恐龙。

一起成为一名极客吧！

本·加罗德

目录

第一章

初识恐龙

什么是恐龙

让我们画一个恐龙全景图，这不仅能知道每种恐龙是什么样子，还能知道这些恐龙之间的关系。你也许已经知道暴龙和梁龙长什么样子，但是我想更深入地讲解恐龙的"家族"。

在科学领域，我们喜欢将庞杂的大家族分解成较小的组，这有助于我们更好地了解它，并且弄明白每个小组之间如何连接在一起。以勺子为例。勺子属于餐具。餐具中除了勺子，还有刀子、叉子。我们只看勺子。勺子有小个头与大个头之分，大个头里面可细分为汤勺、甜品勺等。关于大家族还有各种各样的分类，我们重点选其中一种即可。理解物种如何分类是非常重要的。在科学领域，专业地称之为"系统分类学"。

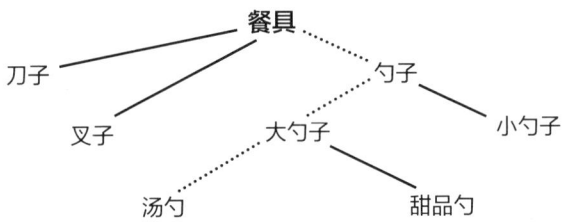

　　如果理解了勺子的分类，那么恐龙的分类也就异曲同工了。到今天为止，科学家们发现了一千多种恐龙（不包括现在的大约一万种鸟类），想要分清它们属于哪种还是很困难的。目前，有一种普遍认同的二分法，即整体上将恐龙分为两大类：其一是拥有类似鸟类腰带骨的恐龙，我们称之为"鸟臀目恐龙"；其二是拥有蜥蜴一样的腰带骨，我们称之为"蜥臀目恐龙"。

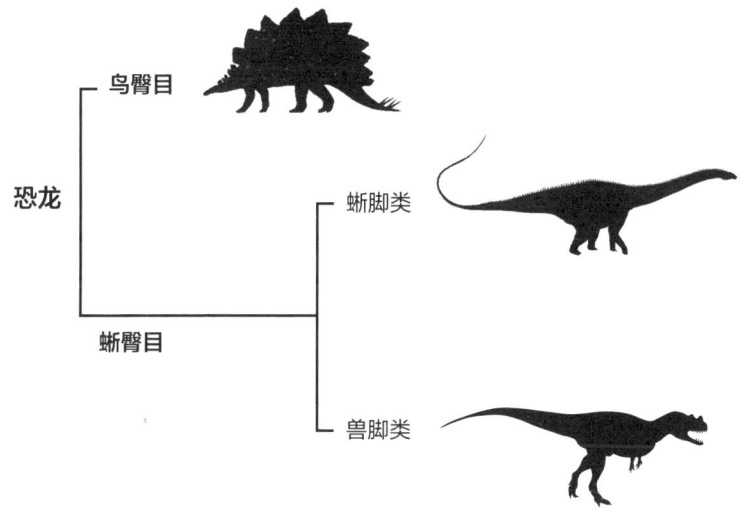

　　鸟臀目恐龙中，三角龙有角，剑龙和甲龙身负铠甲。而蜥臀目恐龙又分成两种，第一种是蜥脚类恐龙（梁龙、腕龙、阿根廷龙），第二种是兽脚类恐龙（暴龙、棘龙、伶盗龙、伤齿龙）。看看上面的图，你会发现从外形上看，与鸟臀目相比，蜥脚类恐龙和兽脚类恐龙更加相近。

科学的质疑精神时刻散发着魅力。一位研究古生物学的年轻科学家对上述这个我们认为最基本的分类方法提出了质疑。他想弄明白：我们目前对恐龙的认知与现实是不是大相径庭呢？他和同事随后又观察了大量的化石，于是得到了一个相去甚远的"恐龙家谱"。

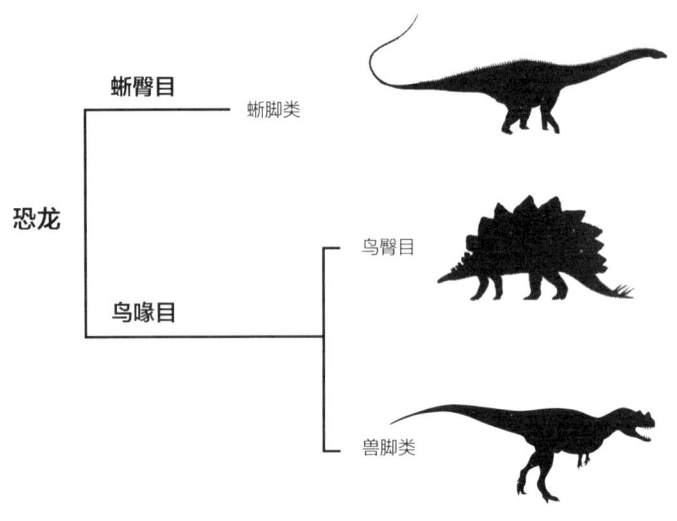

瞧瞧上面这幅图，蜥脚类恐龙和兽脚类恐龙被分开了，蜥脚类恐龙被单独放在了蜥臀目当中，而兽脚类和鸟臀目被配对放进了鸟喙目。这个新的分类颠覆了我们之前对恐龙的了解。同样，这个分类法也可能会被再次颠覆。因为它也不是百分百正确。这种颠覆性的观点有时候是需要时间来验证的。

伙计，稍等！就在我写这章的时候，我得知新消息，有人提出了另外一种新的分类方法。别担心，一有情况发生，我就会给你汇报最新消息的。

我们暂且继续用原始的分类法，但是想到未来很可能会改用其他分类法，我还是非常激动。恐龙是个神奇的物种，我们要是连分类法都确定不了，之后就没法进一步了解它们了。

这就是恐龙

听起来很奇怪，但是恐龙的定义确实不止一种。因为恐龙的种类数不胜数，体态有大有小，一些长着两条腿，另一些长着四条腿，有肉食性恐龙和植食性恐龙。它们千差万别，所以很难仅仅拿一个标准来辨别化石。我们选择用一套比较宽松的标准，只要观察的化石符合下面几条重要标准，就可以确定其为恐龙化石。

其一，恐龙头骨的每只眼睛后面有两个朝向头骨后部的颞孔。

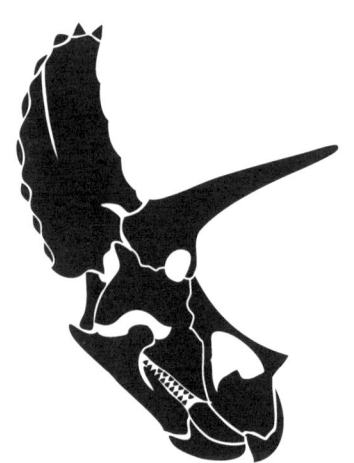

也许你感到困惑，其实我们人类作为哺乳动物的一种，属于单孔亚纲，即眼眶后部只有一个孔。下次再去博物馆时，留意一下恐龙头骨，你会发现它们眼眶后部有两个孔。

其二，所有恐龙的腿都是垂直于身体的。

你下次去户外时，可以观察一下鳄鱼的腿（但记得不要靠太近）。

与我们人类直立的双腿不同，鳄鱼的腿会在中间某处弯折。所有有腿的爬行动物，诸如鳄鱼和它们的近亲蜥蜴的腿都是这样弯曲的——从身体两侧向外伸出后再向下弯折。

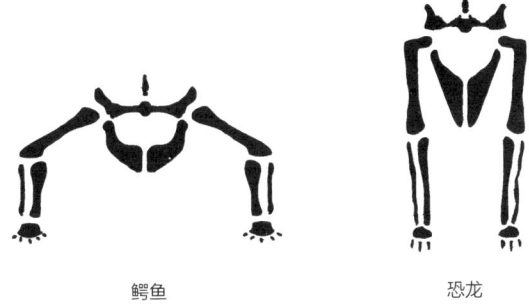

鳄鱼　　　　　　　　　恐龙

其三，恐龙的前肢很短。

我们都知道暴龙和它的近亲恐龙有着非常短小的前肢，但其实几乎每一只恐龙的前肢都比我们想象中要更短一些。低头看一看你的胳膊——上臂骨（肱骨）仅仅比下臂骨（桡骨和尺骨）长一点。但对于恐龙来说，桡骨一般至少比肱骨短 20%。

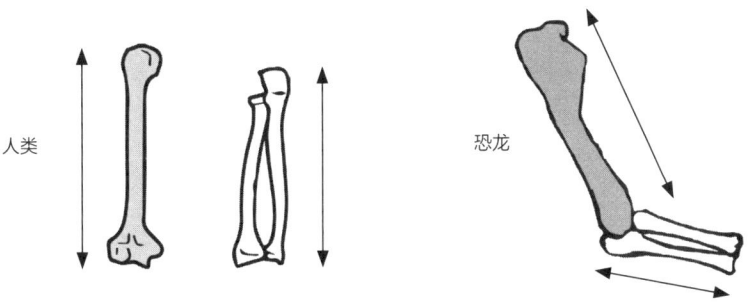

人类　　　　　　　　　　　　　恐龙

恐龙图鉴

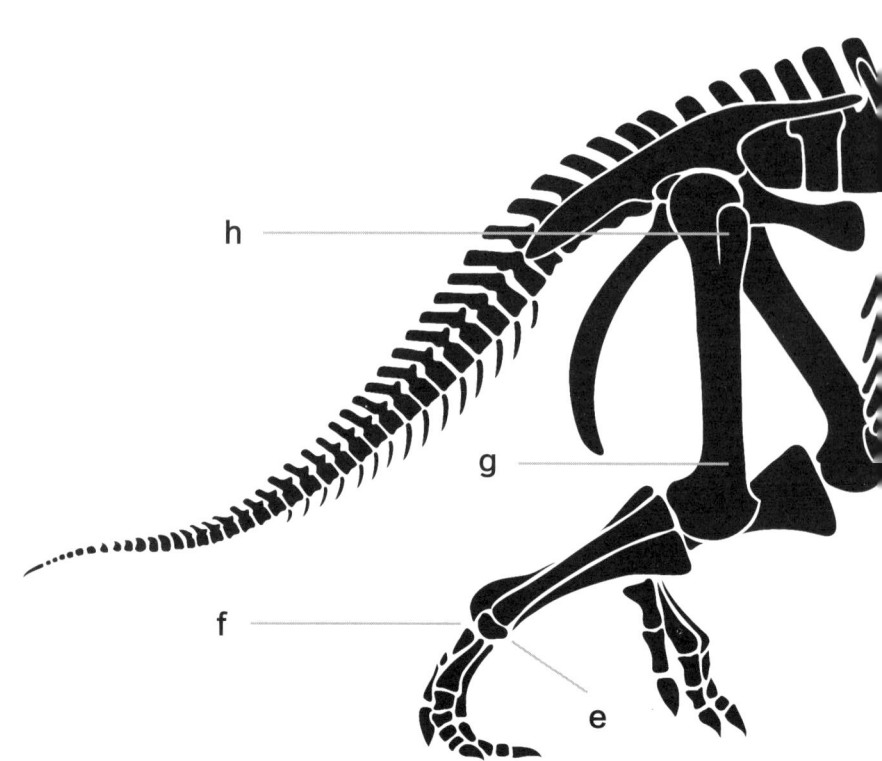

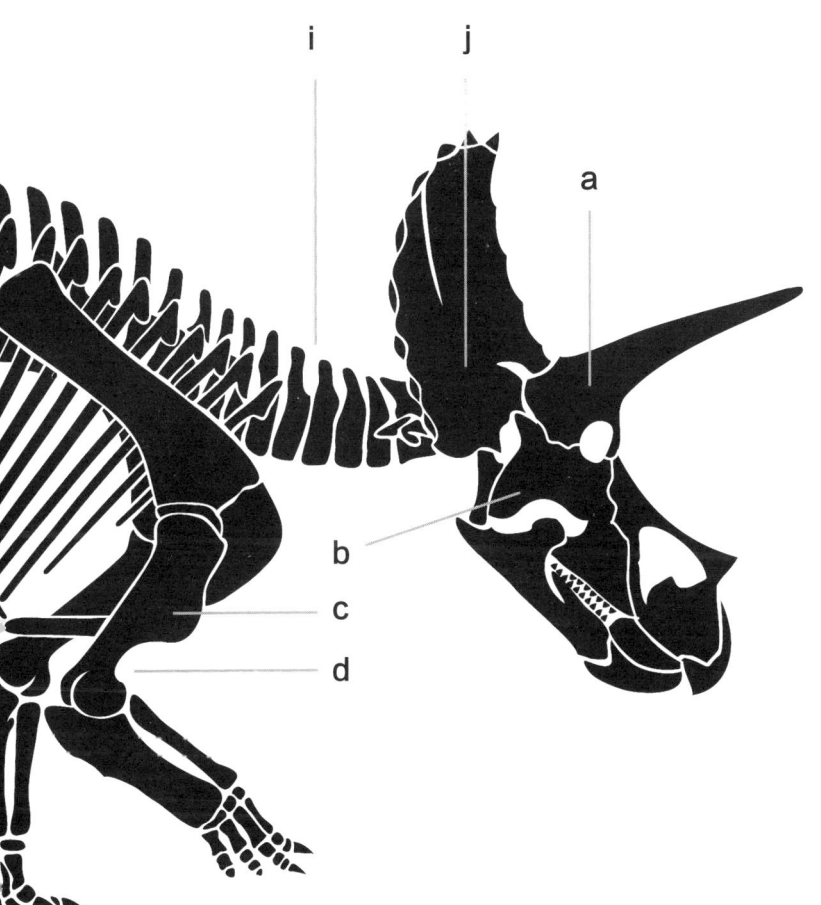

i

j

a

b

c

d

 **a** 双孔亚纲的恐龙。如果你有自己头骨的 X 光片，你会发现每只眼睛后面有一个深深的颞孔。也就是说，人类作为一种哺乳动物属于单孔亚纲。而恐龙这类双孔亚纲动物在眼睛后方有两个颞孔。

 **b** 在眼窝之后的两个洞（上下颞孔）之间，有一个深凹，称之为颞上窝。

 **c** 在前肢上部的肱骨边缘有一块隆起，用来附着巨大的肌肉组织。这块隆起约占恐龙肱骨长度的 30%。

 d 几乎所有恐龙的前肢都十分短小。恐龙的尺骨要比肱骨短 20% 左右。

 e 胫骨突出并向外生长。

 **f** 在小腿腓骨和脚踝连接处，有一个大型的距骨凹。

 **g** 恐龙的腿是垂直于身体的。看看周围的人，人们站立时，腿都是竖直的，而不是像螃蟹一样，腿从身体两侧伸出。恐龙和我们一样，也是直立的形态，和那些腿部从两侧伸出的爬行动物相去甚远。

 h 股骨上的隆起（第四转子）巨大而且棱角分明，能够让肌肉附着。

 i 大多数恐龙的颈椎骨还有一块额外的突出，仿佛每个骨节都长了一个小小的翅膀。这个突出的小块学名叫作上突。

 j 头后的骨骼并未在中部愈合。

 三角龙为你写的一封如何识别恐龙的信：并不是所有的特征都会在每一种恐龙身上表现出来，但是大部分特征还是会普遍出现的。看看有多少种是容易识别出来的吧。

第二章

探索恐龙

三角龙

如果恐龙里也有明星，那三角龙、暴龙、梁龙可谓是最火的几位。三角龙是恐龙家族中最容易辨识的。

它是四足植食性恐龙。体形介于犀牛和大象之间。它的鼻上有一个角，眼睛上方也各有一个角。头骨后方向外延伸，形成一个颈盾。它的名字三角龙（*Triceratops*）源自希腊语的三个词根：tri -cerat-ops，分别表示"三个""角""脸"。这个名字直观地展示了三角龙的外形特征就是"三个角"，它可谓角龙类中最有名气的了。

它们生活在距今 6800 万年前的白垩纪末期的马斯特里赫特期，分布在北美洲。这是小行星即将撞击地球、毁灭整个恐龙世界前的平静时期。也就是说，三角龙是在恐龙时代后期地球上为数不多的没有鸟类化的恐龙。

第一块三角龙的化石于 1887 年在美国科罗拉多州被发现，它被寄给了著名的"化石收集者"查尔斯·马什。人们之前从来没见过这种化石，连查尔斯也以为这是一种野牛的角。一年以后，当人们第三次发现了相较前两次保存得更加完整的头骨化石，他才意识到这是一种有角的恐龙，并且叫它"角龙"。

想象一下，在同一地区发现了一个单独物种如此多的化石，这多么不可思议。自 2000 年到 2010 年，在美国同一个地区发现了近 50 个几乎完整的三角龙头骨化石。一位古生物学家感慨道："走在地狱溪组地层上，你绝对会被因为风化而暴露在地表的三角龙化石吸引。"我们都知道三角龙已经灭绝了，你知道三角龙有两个有效种吗？它们分别是褶皱三角龙和普氏三角龙。

包括三角龙在内，所有角龙最显著的标识是它们的角和颈盾。角龙的各物种之间有很多差别，这能帮助科学家们区分出它们。我们目前还不能确切知道它们的角和颈盾有什么用途，但是可以猜猜看，也许是用来抵御捕食者，或者帮助自己调节体温，抑或用来炫耀和示威。

恐龙家族树

有角恐龙的术语是"角龙科"，三角龙是角龙科的一个属。角龙科还有很多属，它们的形态和大小各不相同。它们都是四足植食性恐龙，生活在白垩纪末期。它们大部分都被发现于北美洲，但也有一种或两种发现于亚洲。

那么，角龙有什么共性呢？首先，它们有角和长在头骨后边的长长的三角形颈盾。此外，它们还有很独特的口腔结构，口腔后部的牙齿咬食物时像剪刀剪东西，而嘴巴像老鹰的喙。

随着时间的推移，越来越多的角龙被发现，到目前为止已经超过65个属。角龙类群演化得十分迅速，导致它们彼此看起来非常不同。

角龙有两大类群：一个是尖角龙亚科，它们的鼻子上部有巨大的角，头骨后边的颈盾也更加方正和复杂。另一个则是开角龙亚科，它们的眼睛上部也长了大大的角，颈盾修长，呈三角形。

厚鼻龙

亚伯达角龙

戟龙

准角龙

五角龙

三角龙

开角龙

牛角龙

尖角龙

17

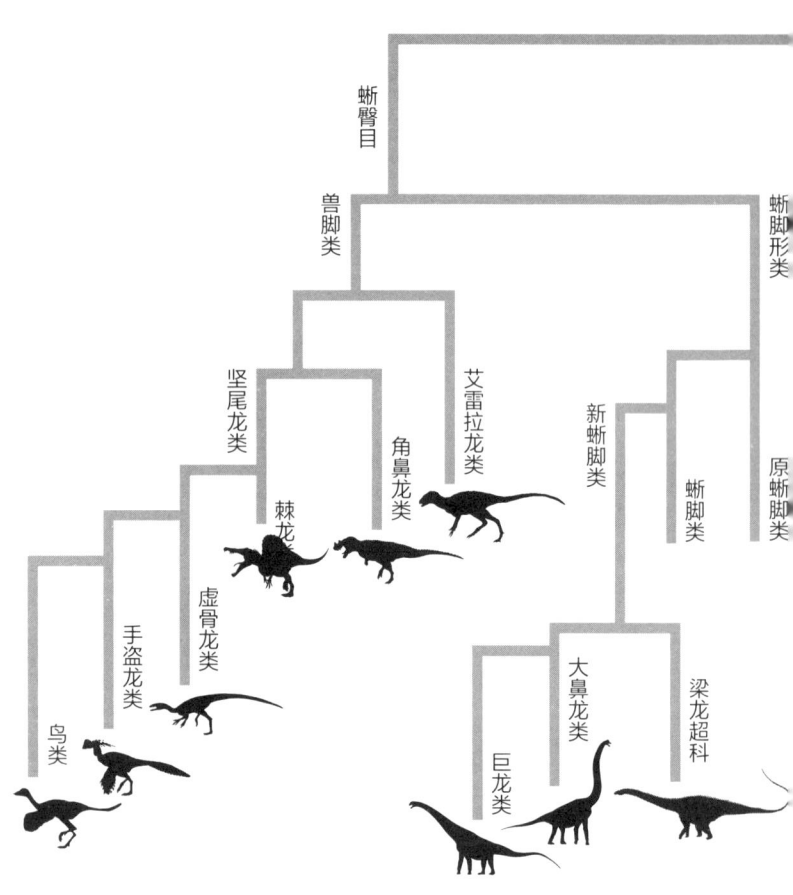

蜥臀目

兽脚类

蜥脚形类

坚尾龙类

艾雷拉龙类

新蜥脚类

蜥脚类

原蜥脚类

棘龙

角鼻龙类

虚骨龙类

手盗龙类

大鼻龙类

梁龙超科

鸟类

巨龙类

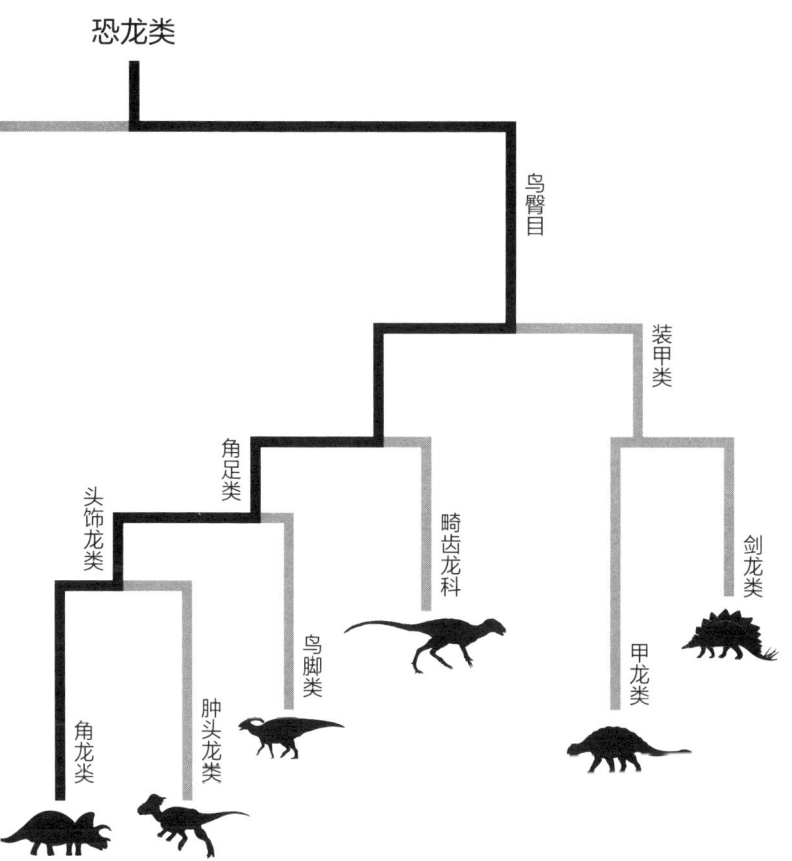

恐龙类

鸟臀目

装甲类

角足类

头饰龙类

畸齿龙科

剑龙类

角龙类

肿头龙类

鸟脚类

甲龙类

开角龙亚科

三角龙属于开角龙亚科。让我们看看它的家族树，这个亚科中还有很多其他恐龙种类，你也许听说过一些，但是有些会很陌生，三角龙是最后才演化出来的。

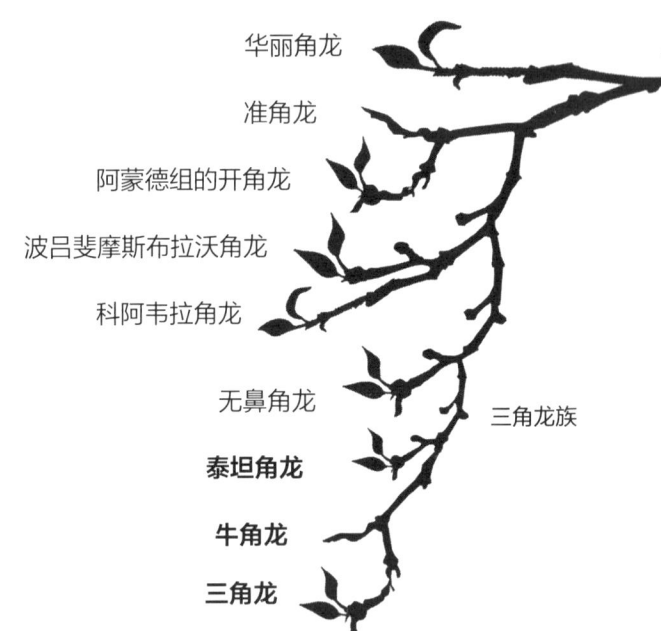

华丽角龙

准角龙

阿蒙德组的开角龙

波吕斐摩斯布拉沃角龙

科阿韦拉角龙

无鼻角龙

泰坦角龙

牛角龙

三角龙

三角龙族

 墨丘利角龙

朱迪角龙

开角龙

魅惑角龙

阿古哈角龙

阿奎洛纽斯五角龙

威廉福克开角龙

斯氏五角龙

犹他角龙

你可以看到三角龙和牛角龙、泰坦角龙是近亲。在角龙这个家族中，它们组成了三角龙族这个分支。

21

三角龙的近亲

开角龙——身上有窟窿的大蜥蜴

这种角龙的头骨长达 1.3 米，其颈盾越向上越大。颈盾中空使它得名"有窟窿的大蜥蜴"。开角龙的颈盾和它的鼻子以及鹰钩状嘴部几乎在一条直线上，颈盾呈 V 字形，颈盾的两边笔直。

开角龙是一种中等体形角龙，身长 4.3～4.8 米，体重可与一辆小轿车相当，达 1.5～2 吨。生活于寒武纪末期的北美洲。开角龙有两个有效种，分别是罗氏开角龙和贝氏开角龙。两者都被发现于加拿大阿尔伯塔省著名的恐龙公园中。在这个地区，人们发现罗氏开角龙化石位于贝氏开角龙化石地层之下，这表明罗氏开角龙先出现在地球上。

泰坦角龙——拥有一张长了巨大角的脸

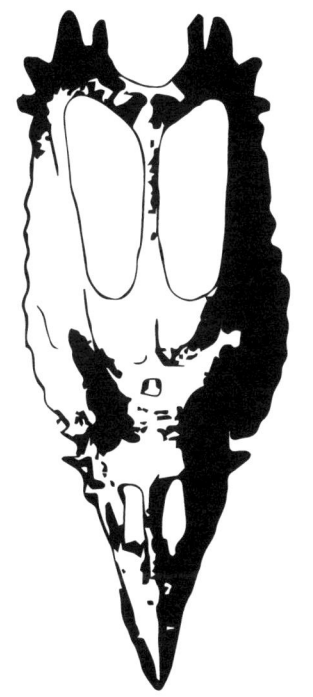

神秘的泰坦角龙以其巨大的头骨而得名。它的头骨大得惊人，有2.65米长，或许是陆地上所有植食性爬行动物中最长的，以至于博物馆都要为迎接它而改建、增高。

这个庞然大物是三角龙族第一个为人所知的。三角龙族是角龙大家族的一个分支，这个分支的末尾是三角龙。泰坦角龙生活在距今7470万～7350万年前的美国新墨西哥州。

我们对泰坦角龙的所有了解来自一次化石发现，其中包括部分骨架、一块下颌骨和一个相对完整的头骨。科学家们据此推测它身长约6.8米，重达6.5吨。

戟龙——头戴尖矛的蜥蜴

戟龙外形独特，颈盾上长有 4～6 个长角，面颊两侧也分别长了 1 个小角，鼻尖上还有 1 个长约 60 厘米的角。目前发现的所有戟龙头骨化石都相当不同。一些学者认为戟龙鼻尖上的角长约 60 厘米，而另一些学者则认为这个角长度应减半，约 30 厘米。

戟龙生活在距今 7550 万～7500 万年前（属晚白垩纪）。它们的化石在加拿大阿尔伯塔省和美国蒙大拿州被发现，即使体形称不上巨大，但也不小，身长达 5.5 米，重达 3 吨，介于一头白犀牛和一只非洲象之间。科学家认为，对于这种群居动物来说，不同种群之间用角进行终极展示。

极有可能，成年雄性戟龙用角向其他雄性展示它们的优势物钟地位，以此吸引异性交配并获得繁衍的优势。

温氏角龙——用温蒂命名的角龙

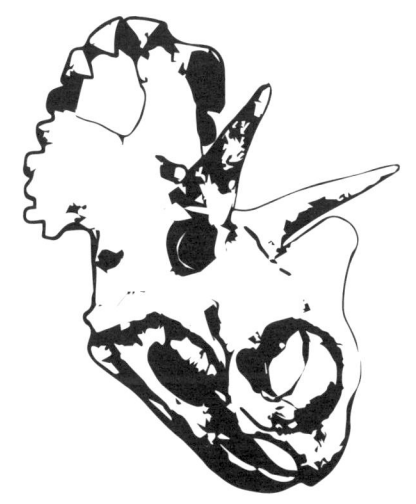

温氏角龙的名字是以其发现者温蒂·斯洛博达的名字命名的。与其他角龙不同，温氏角龙拥有弯曲的角，在颈盾的顶端向内弯折回来。

它中等体形，生活在距今 7900 万～7870 万年前。温氏角龙化石发现于加拿大阿尔伯塔省。它是高鼻角恐龙中最先被发现的物种。温氏角龙重达 1 吨，身长达 6 米。目前在同一个化石遗迹发现了几个成年与幼年温氏角龙的化石。

小测试

你真的了解恐龙了吗?

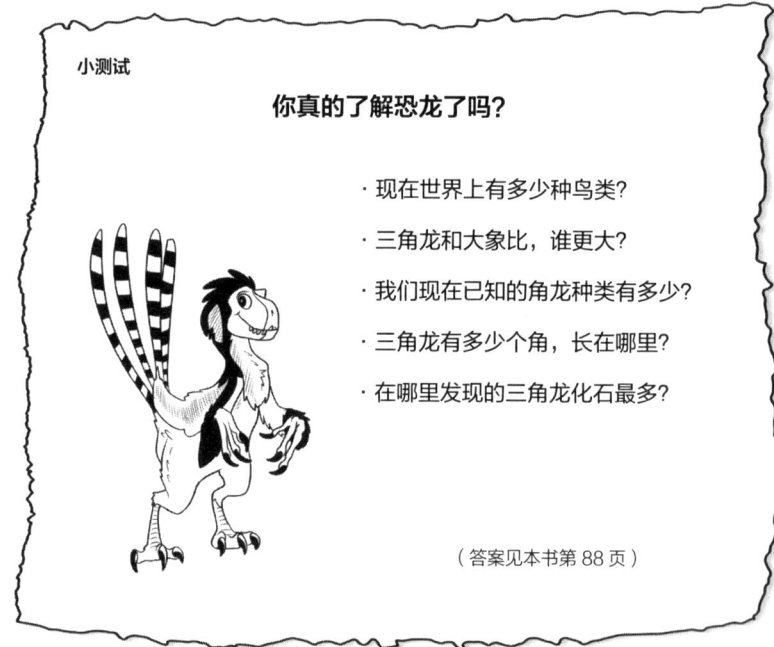

· 现在世界上有多少种鸟类?

· 三角龙和大象比,谁更大?

· 我们现在已知的角龙种类有多少?

· 三角龙有多少个角,长在哪里?

· 在哪里发现的三角龙化石最多?

（答案见本书第 88 页）

第三章

揭秘恐龙

何时何地

　　恐龙生活的时间可以大致分成三段，分别是三叠纪、侏罗纪、白垩纪。三角龙就生活在小行星撞击地球前的白垩纪末期。更详细地说，它们出现在距今 6800 万年以前，我们称之为晚白垩纪马斯特里赫特期。

　　2009 年，科学家发现三角龙的两个有效种——褶皱三角龙和普氏三角龙并不生活在同一个时期。它们的化石发掘于盛产三角龙化石的地狱溪组地层中不同的层位。因为不同的地层沉积的年代不同，所以分别保存在两个不同层位的两种三角龙从未谋面，彼此不知道对方的存在。

　　三角龙的化石发掘于美国的科罗拉多州、蒙大拿州、南达科他州和怀俄明州，以及加拿大的阿尔伯塔省和萨斯喀彻温省。

　　许多三角龙化石都是在地狱溪组地层中发现的，这片区域原来是一个有淡水域、微咸水

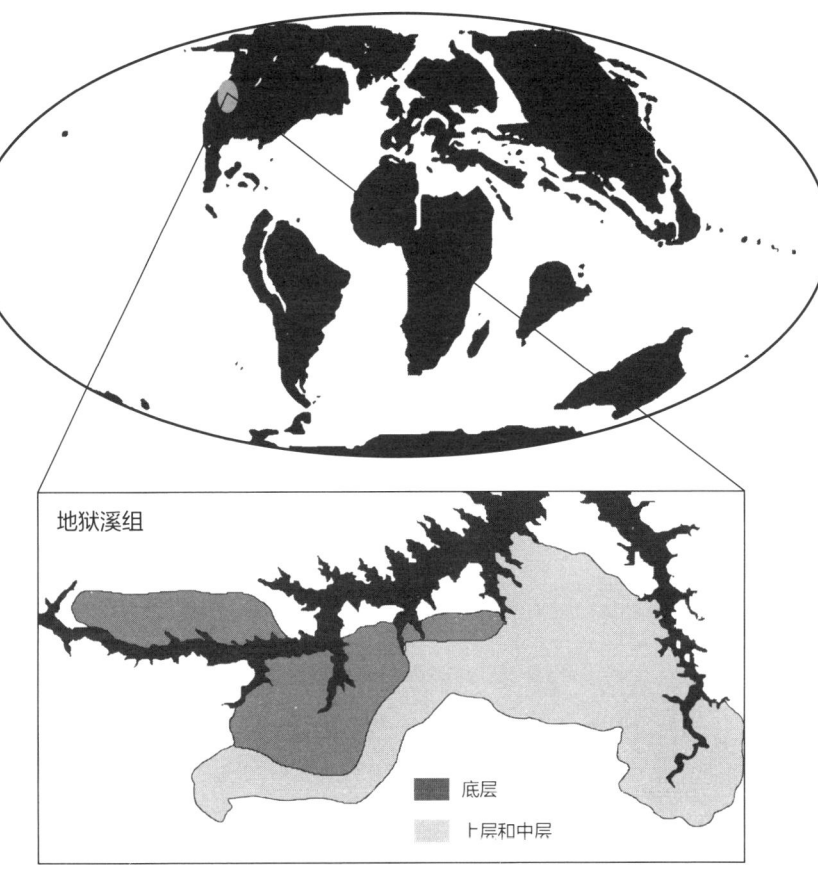

域的栖息地，有沼泽、湿地、草甸、平原。因此除了恐龙之外，这组地层中还发掘出了其他各种各样的动物的化石，比如翼龙、鱼、两栖类、蛇、蜥蜴、乌龟、鳄鱼、昆虫、猛犸象，它也是世界上开展化石和灭绝物种研究最多地方之一。

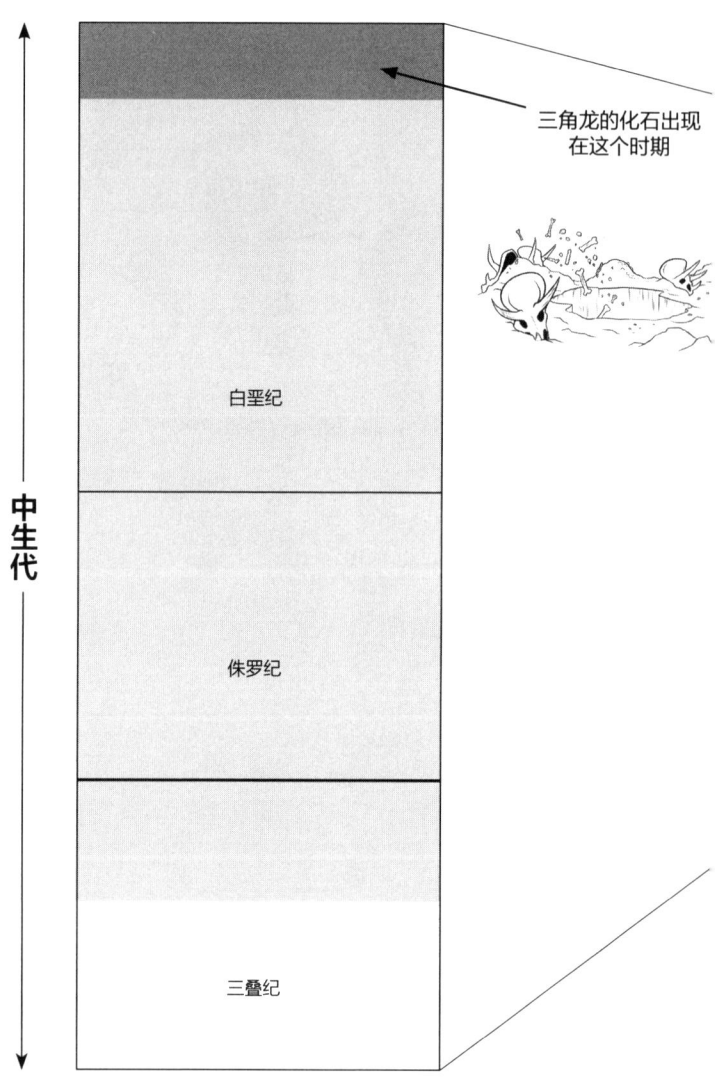

三角龙的化石出现
在这个时期

白垩纪

中生代

侏罗纪

三叠纪

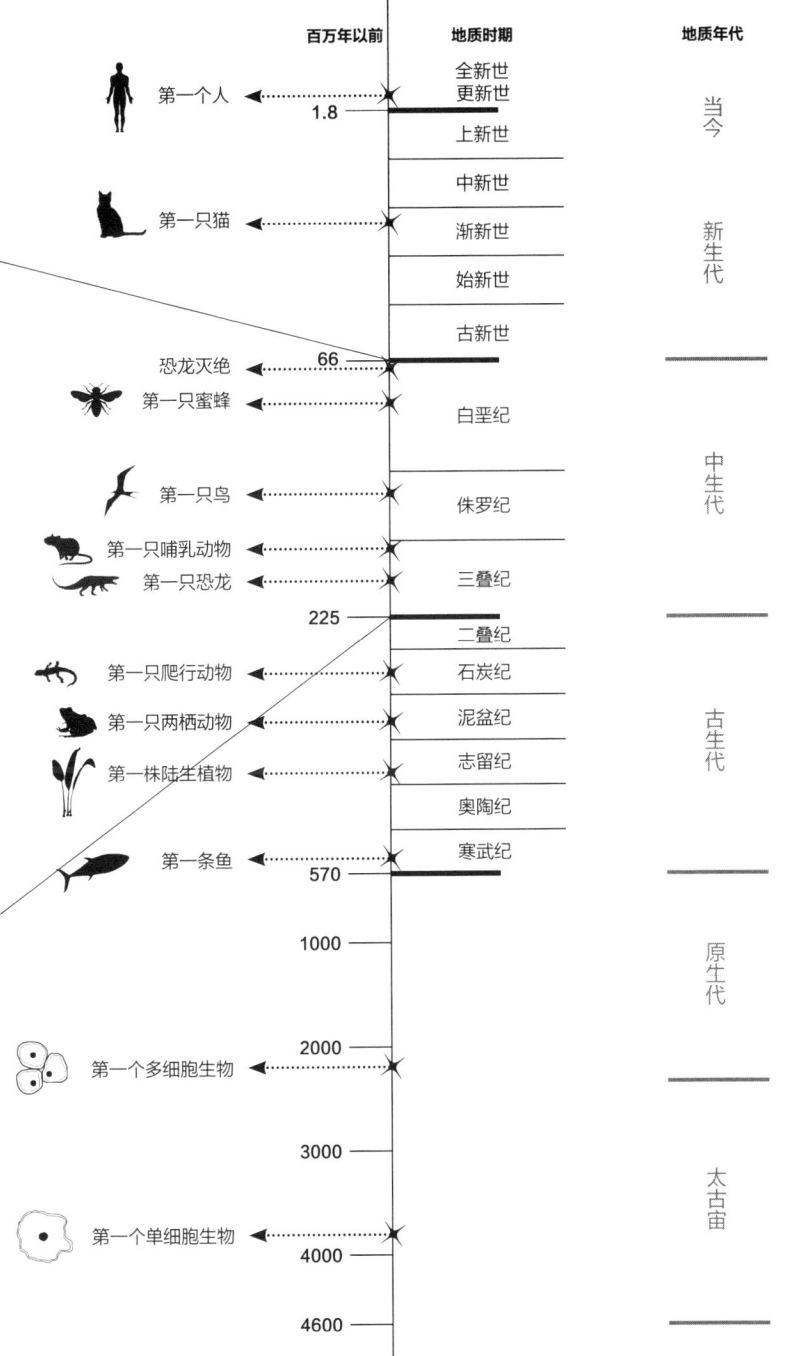

| 百万年以前 | 地质时期 | 地质年代 |

第一个人　1.8

全新世
更新世
上新世
中新世

第一只猫

渐新世
始新世
古新世

当今

新生代

恐龙灭绝　66
第一只蜜蜂

白垩纪

第一只鸟

侏罗纪

第一只哺乳动物
第一只恐龙

三叠纪

225

二叠纪

第一只爬行动物

石炭纪

第一只两栖动物

泥盆纪

第一株陆生植物

志留纪
奥陶纪

第一条鱼　570

寒武纪

中生代

古生代

1000

2000

第一个多细胞生物

3000

4000

第一个单细胞生物

4600

原生代

太古宙

31

问问专家：
恐龙的生活环境如何？

从业余化石搜集者，到世界著名的科学家，

很多人都从事与恐龙相关的工作，

有的人去埋藏地挖掘化石，有的人在实验室做研究，

有的人像创作艺术品一般拼接恐龙的化石。

墨塔瑞·希娜教授

古生态学家，美国国家科学基金会科学政策委员

墨塔瑞·希娜教授从事科学研究以及相关教育行业。

她是古生物学家，热衷于发掘可以告诉我们

史前环境的牙齿和骨骼化石。

我们可以从恐龙的化石中了解到很多信息：它们的牙齿是锋利的还是平钝的？它们是四足还是两足行走？它们的体形如何？而我更有兴趣探究它们的生活，比如数百万年以前它们吃些什么，生活在怎样的环境当中。解决办法就是研究当时的生态。

我一直热衷于研究像恐龙这样已经灭绝动物的生活环境，它是寒冷干旱的，还是温暖潮湿的？所幸的是我们可以根据化石和其他线索来弄明白它。

当我研究时，我常常用这些动物化石的一小部分，比如牙齿、骨头或者恐龙蛋的蛋壳，去测试它们的化学成分，比如碳元素、氧元素。这些化学元素可以说明恐龙吃哪种食物，喝多少水，从而推测它们的生活习性和生存环境。

我主要使用从蒙古国发掘的恐龙蛋的蛋壳和牙齿化石。许多种恐龙生活在距今 8000 万年的蒙古国，从兽脚类肉食性恐龙中的伶盗龙，到植食性恐龙中的原角龙。通过测量伶盗龙蛋壳和原角龙牙齿中的碳元素和氧元素的总含量，我得出这些恐龙在 8000 万年前生活在一个炎热、干旱的环境当中的结论，这和今天蒙古国的气候有些相似。

恐龙的化石可不能只用有趣来形容，它不仅样子超酷，还因为恐龙灭绝已久而显得十分神秘。更加神奇的是，仅仅通过对这些骨骼的科学分析，就可以解锁背后的各种信息。比如：它们吃什么，在哪里生活！

第四章

探究恐龙

三角龙的解剖结构

三角龙的骨骼

你不必成为一个鉴别三角龙的专家，就能认出它——它是世界上最容易识别的恐龙之一。

头骨

三角龙是最大的陆栖动物之一。它的头骨太特别了，不仅拥有角和颈盾，而且巨大——占了三分之一的体长。目前发现的最大的三角龙头

骨长达 2.5 米。通常，成年三角龙的颅骨长约为 2 米左右。三角龙有

两个种：褶皱三角龙和普氏三角龙，它们是近亲，外形十分相似，但

喙和吻部有细微的差别。普氏三角龙的吻部和鼻上方的角都更长一些。

虽然不是每一只都如此，普氏三角龙头骨眼眶上方的角要更加笔直一

些。

褶皱三角龙

普氏三角龙

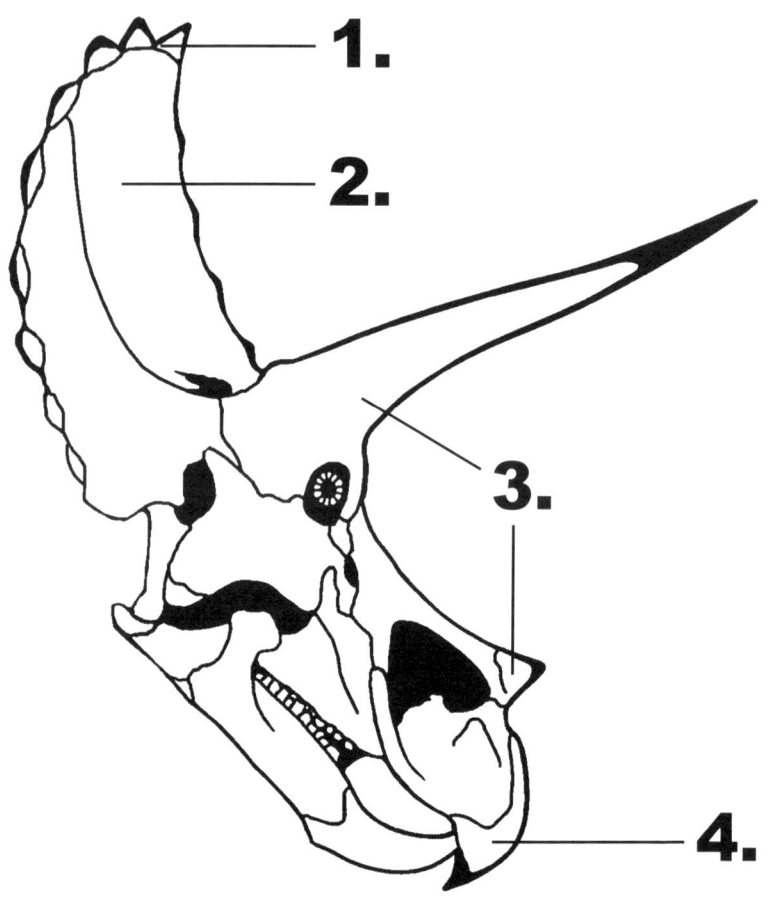

1.

2.

3.

4.

1.
一些角龙在头骨后方拥有巨大的颈盾，但是三角龙的却很短。它的颈盾边上有一排小钉子一样突出的骨刺，看起来就像王冠一样。这种骨冠仅见于角龙类恐龙，名字叫作颈盾缘骨突。它可能被用来炫耀，或者帮助区分种族。

2.
许多角龙的颈盾都有空洞，这种空洞叫作窗孔（学名源自拉丁语的"窗户"一词）。虽然叫窗孔，但是我们猜测其中可能有肌肉和组织，并不是通透的洞。颈盾很大的角龙可能会有更加强壮的咬肌，尽管如此，它们的咬合力还是比不上泰坦角龙。三角龙的颈盾比泰坦角龙要小，所以咬合力也没有它大。

3.
三角龙头骨的鼻子上方有一个角，另两个长达1米的角分别长在眼眶上部。头骨上竟然长了这么长的角！

4.
三角龙的嘴巴末端是鹰钩状的，就像鹦鹉的喙一样。门腔前端没有牙齿，也许是因为演化出了能够方便扯拽树叶的嘴型。口腔后部长有用于咀嚼的牙齿，它们特别。作为植食性恐龙，三角龙的牙齿非常适合咀嚼植物。每颗牙齿有两个牙根，它们都埋藏在可以源源不断为牙齿提供能量的"电池"里。

　　这种齿列是三角龙特有的。每个牙齿都按照横行和竖列互锁起来，有像一个个较小的立方体组成的长方体。三角龙每个竖列有 3 ~ 5 颗牙齿，只有顶上的牙齿会被用到，剩下的是替换齿。

　　三角龙的牙齿会在整个生命周期中不断地替换。当老的牙齿被粗糙的植物磨光，老牙就会脱落并由尖锐的替换齿所代替。成年三角龙的牙齿最多有 40 列，也就是说它总共有 430 ~ 800 颗牙齿。现实中，只有其中的一小部分会被用到。正在使用的牙齿是非常锋利的，它们因为像剪刀一样彼此划过，磨得很锋利，能很轻松地切断很坚韧得茎叶。

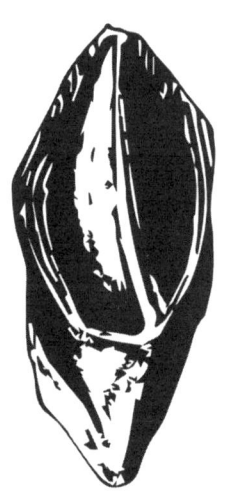 

与其他恐龙不同，三角龙头骨化石比其身体其他部位的化石更常见。我们认为是因其头骨的整体性很好，而身体其他部位的骨骼则像梁龙的一样更加精细，整体性差，不易保存。

骨架

三角龙的两个种都是体形庞大、与大象相近的四足动物，它们神奇的骨架让它们成了植食性恐龙中的佼佼者。

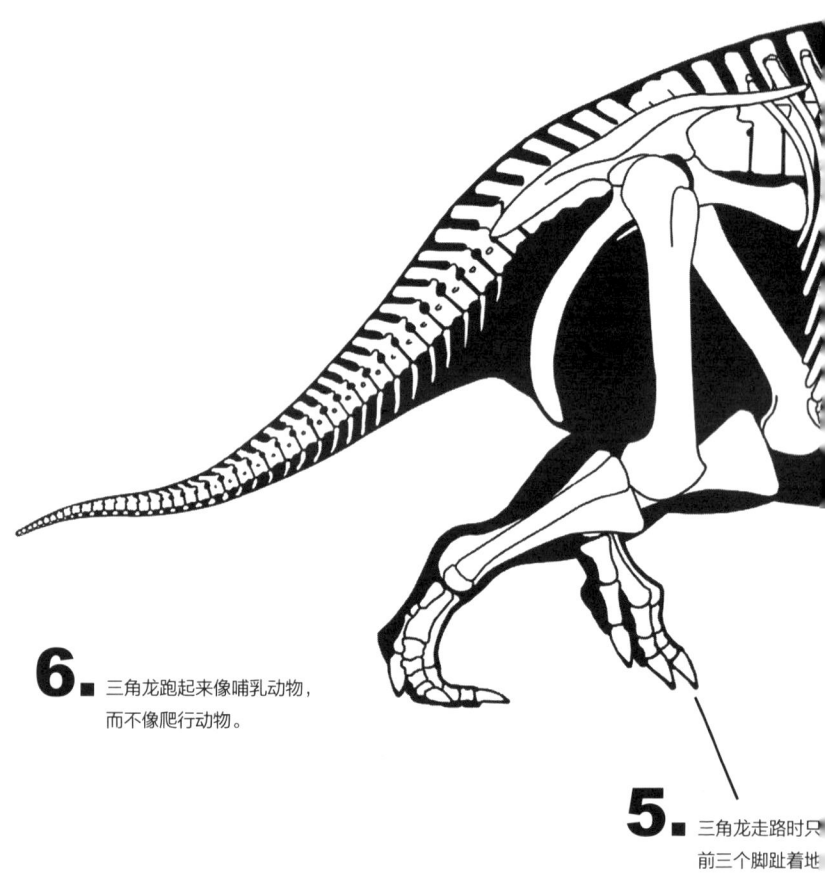

6. 三角龙跑起来像哺乳动物，
而不像爬行动物。

5. 三角龙走路时只
前三个脚趾着地

1 米

1. 三角龙体格健硕，重心低，眼睛上
面有两只角，鼻子上有一只角。

2. 肘部微微向外弯曲。

3. 粗壮有力的趾骨和短小的足。

4. 足不是面向前方，而是
面向身体外侧。

1. 三角龙体格健硕，重心低。

很多人都认为三角龙的角和颈盾是用来防御掠食者的攻击的，但是科学家看到的证据却不是这样。很多属的颈盾很脆弱，而且还有中空的窗孔结构，角距离面部也太近。如果靠这些来抵御捕食者，等到三角龙找准位置再刺伤捕食者，就为时已晚了。

2. 肘部微微向外弯曲。

即使一看便知三角龙就是四足动物，但是关于它们究竟是如何行走的还是一直有争论。一开始人们认为三角龙的前肢会像蜥蜴一样向身体两侧伸出，并且要用四肢行走才能撑住巨大的头骨。然而随着更多骨骼化石的发现，人们重建了三角龙行走的方式：它们走路时身体更为直立，肘部会稍微弯曲、向上抬起，和犀牛有些相似。

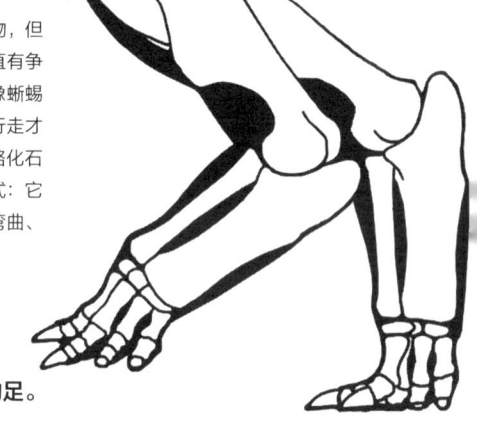

3. 粗壮有力的趾骨和短小的足。

它们的前足有三个爪，而后足有四个爪。

4. 足是不面向前方，而是面向身体外侧。

一些四足动物比如蜥脚类恐龙，有着外形极复杂的前后足，但是三角龙的足的外形却很普通，甚至可以说简单。它们的足不像大多数恐龙面向前方，而是面向身体外侧。这种向外扩展的足被认为是最原始的足型。

5. 三角龙走路时只用前三个脚趾着地。

尽管每个前足一共有五个脚趾，三角龙只用三个着地。另外两个脚趾很高，而且没有爪。每个脚趾的趾骨数目也不同，从靠近胸部的这个趾开始依次向外，趾骨（包括爪）数别是 2 个、3 个、4 个、3 个、2 个。

6. 三角龙跑起来像哺乳动物，而不像爬行动物。

骨骼帮助科学家预测出了三角龙奔跑时的速度。他们通过骨骼的姿势和脚印化石推测出三角龙跑起来像哺乳动物，而不是爬行动物。又因为它的四肢和犀牛十分相似，所以科学家猜测三角龙能像犀牛一样达到每小时 55 千米的奔跑速度。如果你没有什么概念，对比一下人类最快的奔跑速度——每小时 45 千米。

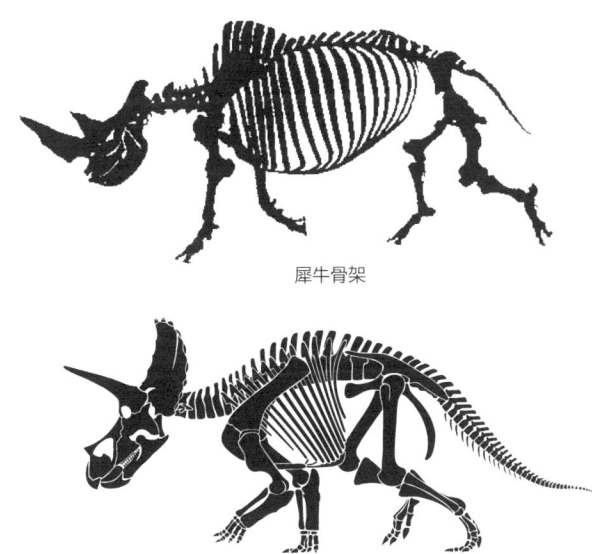

犀牛骨架

三角龙骨架

三角龙的身体

1. 我们还不知道角和颈盾
是用来做什么的。

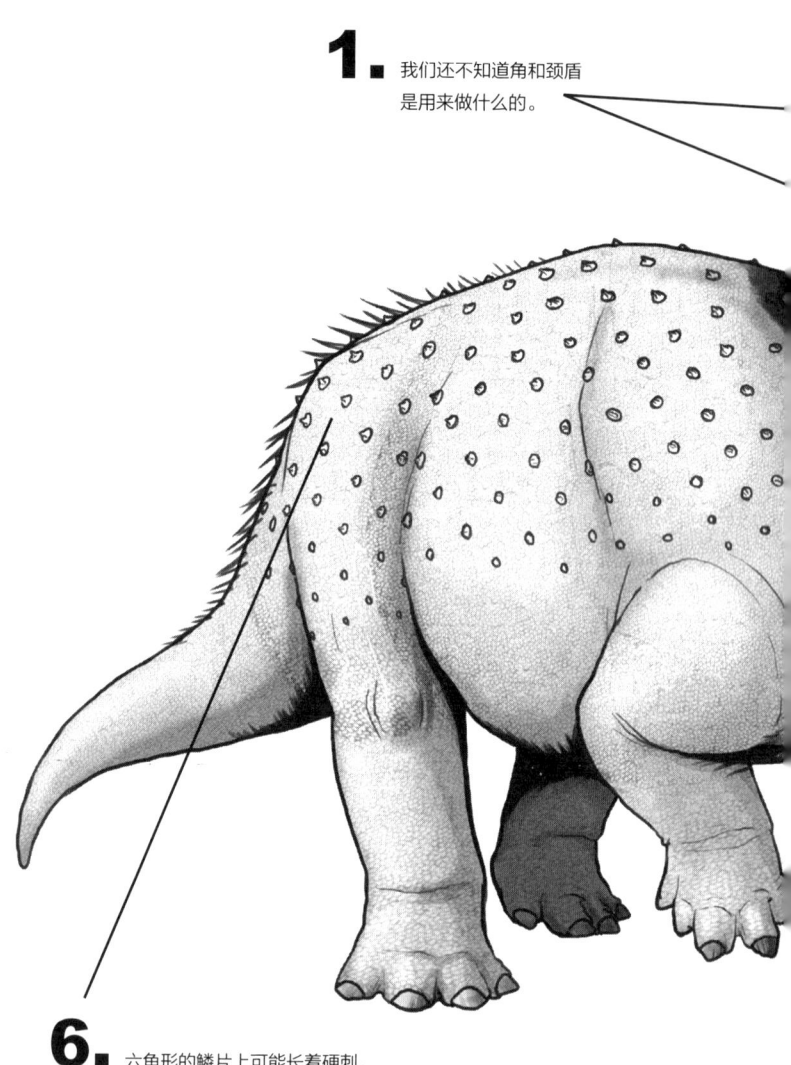

6. 六角形的鳞片上可能长着硬刺。

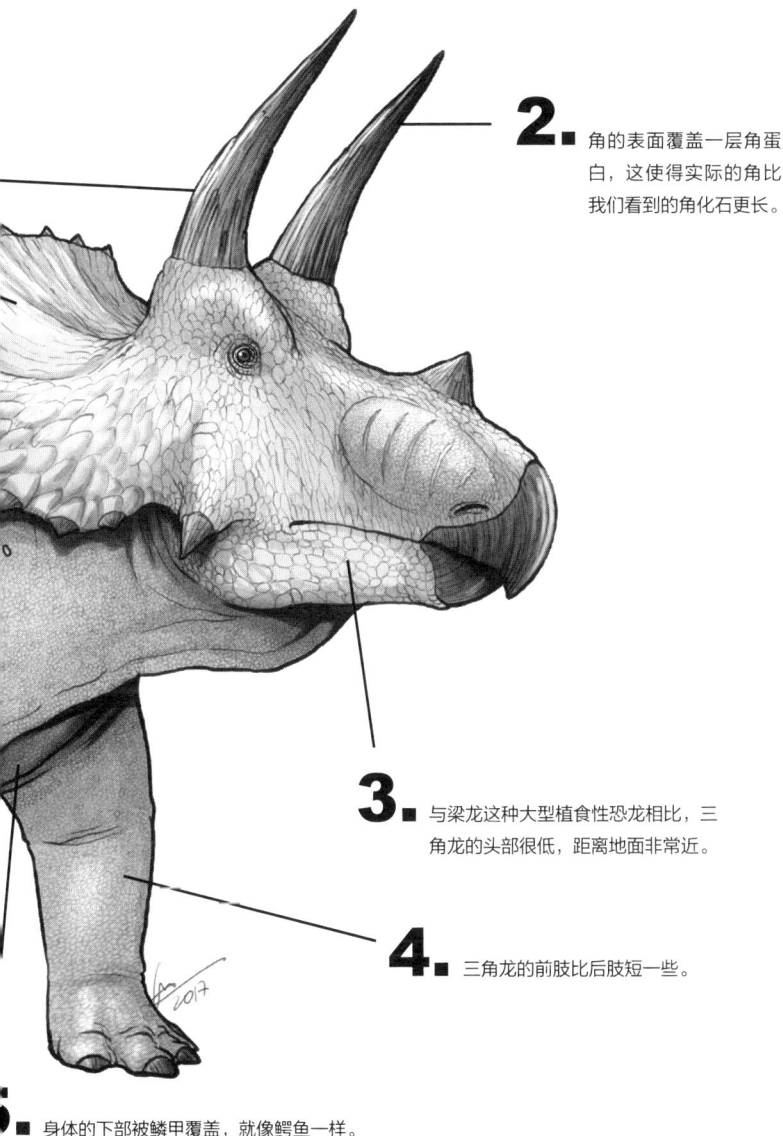

2. 角的表面覆盖一层角蛋白，这使得实际的角比我们看到的角化石更长。

3. 与梁龙这种大型植食性恐龙相比，三角龙的头部很低，距离地面非常近。

4. 三角龙的前肢比后肢短一些。

■ 身体的下部被鳞甲覆盖，就像鳄鱼一样。

49

　　三角龙可是个大块头，大家一直在讨论怎么测算它们的体重。成年三角龙的骨骼化石长达 8 米，高达 3 米。一些科学家说它们重约 6 吨，另一些则认为重达 12 吨。

　　和众多恐龙一样，三角龙化石的发掘也是一点一点完善的。所幸的是有很多完整的骨架化石被发现。现在我们知道，早期科学家们的预测是不准确的。最开始的画像将它描述得有点浮肿，头很低，尾巴过于下垂，四足也平踩在地上。现在经过改进，它的头抬得更高了，尾巴也翘起来了，变得更加健美，不像从前那样肥胖了。

1. 说了这么多，我们还是不确定角和颈盾的功能。一些三角龙的头部化石上有被咬伤并且愈合的痕迹，这意味着它们用角和颈盾抵御过攻击。

另一种观点是颈盾是用来调节体温的，就好像大象的耳朵一样。但是大多数科学家认为，即使颈盾和角可以用来抵御天敌，调节体温，但是最重要的还是用来炫耀和示威。

许多动物的角都是用来展示自己的，比如求爱时吸引异性，或者恐吓敌人，或者区分族群。犀牛、锹甲和牛的角都有这种功能。

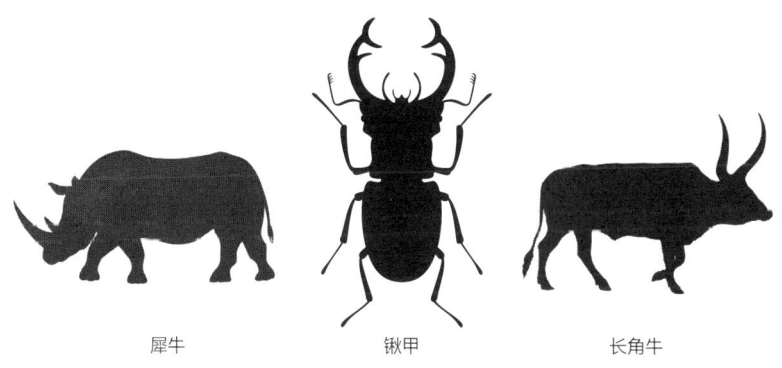

犀牛　　　　　　　锹甲　　　　　　　长角牛

通常有又大又漂亮的角和颈盾就足够了，但是三角龙有时候还是会打架。一些三角龙的化石上有被刺穿的痕迹，它与三角龙的角形态和大小都非常吻合，这说明了它们是会打架斗殴的。科学家认为它们一旦互相撞到对方的头，角和头骨会被撞碎，而不是仅仅撞折或者撞弯。

2. 当我们看到角的化石时，并不能看到整只角，我们看到的只是骨质部分。像牛、羊、角龙这些有角的动物，它们的角是由内部的骨芯和外部的包裹层构成的，包裹层通常为角质的，其成分与指甲一样。有了它的保护，三角龙的角得以在它们死亡以后保存很长时间。

3. 与梁龙这种大型植食性恐龙相比，三角龙的头部很低，距离地面非常近。三角龙也许专觅食矮小的植物，或许它们是将树木撞倒以后再吃，就和现在的大象一样。

4. 三角龙粗壮的四肢支撑它庞大的身体。前肢比后肢稍微短一些，而且只有三个尖爪，而后肢有四个尖爪。

5. 恐龙的皮肤化石非常非常罕见，皮肤的印迹略微多一些，但仍然十分罕见。当恐龙的皮肤压在周围的软泥上时，留下的印迹就可能变成化石。

在 2002 年发现的三角龙化石中，人们惊奇地发现了仅有的几块面积很大的皮肤化石，能让科学家们对它的外形一探究竟。肚皮下方的皮肤上有一层巨大的鳞片，就像鳄鱼一样。剩下的地方和其他恐龙一样，被细小的鳞片覆盖。其细小的鳞片中还掺杂了如巴掌大小的六边形的中等鳞片，鳞片中部有个小洞。

6.

这种六边形的鳞片可能隐藏着三角龙演化的秘密。我们不能非常确定这里面到底有什么秘密，但是一些科学家坚信每一片六边形鳞片都是硬刺的基床，就像刺猬和豪猪那样。这样的想法来源于三角龙生活在亚洲的亲戚鹦鹉嘴龙，这种恐龙的尾巴上布满硬刺，也许三角龙也有。

但是要记住鹦鹉嘴龙是三角龙的远亲，它们看起来根本就不像。这个话题的讨论将在科学界持续下去，我们很快会知道三角龙到底长刺了没有。

我们会弄明白的。

第五章

恐龙地盘

栖息地与生态系统

　　三角龙这种植食性的角龙最早的化石出现在距今 6800 万年 ~ 6600 万年的白垩纪晚期地层中。三角龙化石的发现地有各种角、骨骼、牙齿，科学家们认为三角龙很可能就是当时这片区域最常见的植食性恐龙。一些科学家甚至认为到了白垩纪末期，三角龙的数量占到全部恐龙的 80%。现在发现的许多三角龙牙齿都非常大，所以我们可以猜测它们吃大量难以咀嚼的纤维植物。但是有些人则认为它们吃棕榈叶，还有一些人认为它们吃蕨类植物。

　　你可能知道，史前的地球与现在看起来完全不同，大陆漂移了数百万年，但是白垩纪的地球上没有现在这样多的陆地，海平面比现在高出 200 ~ 250 米。

　　生活在白垩纪晚期的植食性恐龙太幸福了。在此之前，植食性恐龙就好像去餐厅点餐时，只有两样菜品可供选择；而到了白垩纪晚期，忽然菜单上多了很多新菜品。在热带地区以外的地方（比如三角龙的栖息地），许多开花植物大量出现，其中有很多我们今天可以见到的种类，例如木兰、玫瑰、红树、柳树等。

三角龙的时代，地球比现在要热。但是地球那时候已经在逐渐降温了，所以只有赤道那里和今天一样一直属于的热带气候，南北半球在一年中会有四季变化。大量的三角龙化石在科学家们所说的地狱溪组地层中被发现。这组地层分布于美国的北达科他州、南达科他州和蒙大拿州。它属于白垩纪末期，是一种河流、沼泽、河口在这一地区退去时，留下了大量的黏土、泥岩和砂岩，这些都有利于化石的形成和保存。地狱溪组地层是在淡水和盐水以及湖水中形成的，水体周围有很多蕨类、阔叶类植物以及各种树林。当时的气候温暖潮湿，全年没有冬季这样寒冷的季节。

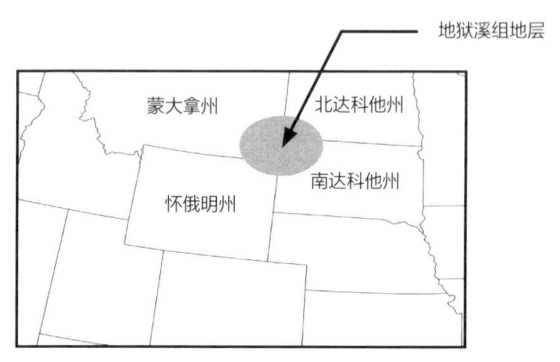

地狱溪组地层位置示意图

地狱溪组地层是享誉世界的观察化石的胜地，除了恐龙，各种昆虫、植物、翼龙、蛇颈龙、沧龙、鳄鱼、蛇、蜥蜴、乌龟、鱼类、两栖类、哺乳类的化石应有尽有。

在白垩纪末期，大量的山脉被海水淹没，使得当时的海平面比今天要高得多。这意味着当初的美洲、欧洲、非洲、大洋洲的很多地方都是浅海。地球上的大陆现在约占地球表面积的 29.2%，白垩纪晚期只有 18% 而已。

小测试

你真的了解恐龙吗？

· 三角龙有多少个有效种？

· 三角龙前足有几个脚趾？

· 三角龙大约有多重？

· 三角龙生活在什么地质时期？

· 说出三角龙生活时期的三种植物？

（答案见本书第88页）

下面瞧瞧在地狱溪组地层中发现的一些恐龙种类吧。

冥河盗龙

似鸟龙

矮暴龙

派克提顿龙

暴龙

理查德伊斯特斯龙

似鸵龙

安祖龙

甲龙

双角龙

埃德蒙顿龙

埃德蒙顿甲龙

纤角龙

副栉龙

牛角龙

细嚼龙

肿头龙

科学前沿:
像气球一样
可以充气的鼻子

我们现在做一个恐龙的实验，请在脑海里想象一下三角龙的骨架，脑海里最先出现的是什么？

是四肢和躯干吗？

是角和颈盾吗？

还有其他的什么？

你想到它们的鼻孔了吗？

没有？

为什么没想到呢？

角龙头骨的鼻孔是非常大的，尤其是下面要讲的三角龙。当你再对比其他恐龙的化石以后，就知道三角龙的鼻孔是出奇地大。

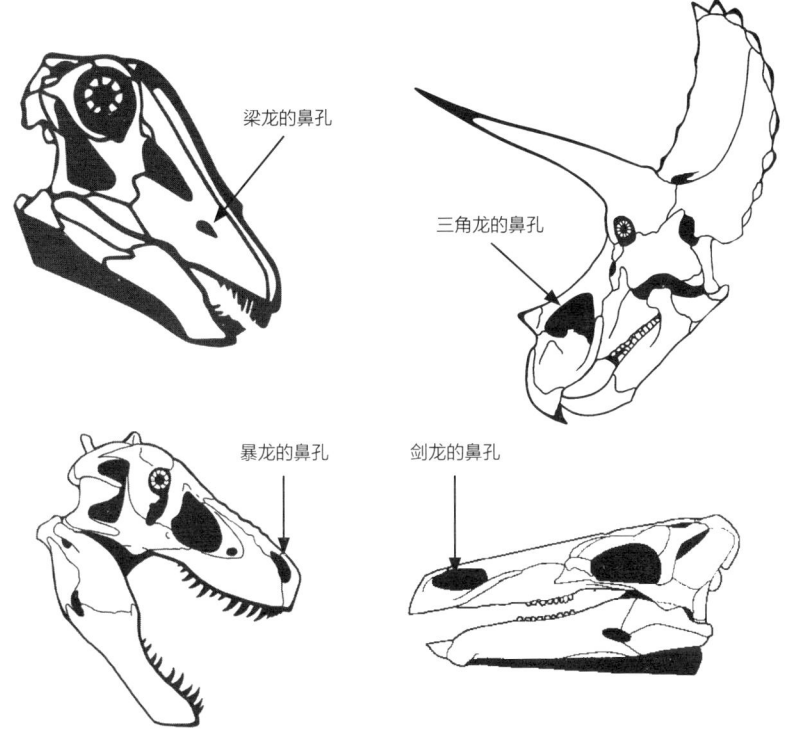

梁龙的鼻孔

三角龙的鼻孔

暴龙的鼻孔

剑龙的鼻孔

　　为了方便比较上面四种恐龙的鼻孔部位，我们已经把它们缩到相同大小。梁龙、剑龙、暴龙有着大小相近的鼻孔，都不是很大，不会让你感到突兀。但你看三角龙，它的鼻孔堪称巨大，比正常的鼻孔要大很多，而且周围还有一些复杂的结构。

　　为了防止我们胡思乱想，先看看关于这种大鼻孔的一些合理解释。

 也许是为了容纳巨大的盐腺，就像很多海鸟一样，它能够帮助它们排出多余的盐分。但是从它们生活的环境来看，是不需要的。所以这个观点看起来并不合理。

 也许是为了连接更多的肌肉。但是这种骨骼的结构比较脆弱，看起来也不够结实，所以也不像。

 也许鼻腔内有大量的血管来帮助调节体温。这个还比较有可能，就像大象的耳朵一样。所以这个想法比较合理。

你也许会说："关心三角龙的鼻子干什么？"实际上这巨大的鼻孔后隐藏着三角龙的神奇秘密。也许这夸张的鼻子是用来恐吓天敌的呢？或者和它们的角和颈盾作用一样，是用来吸引异性或向同性炫耀的呢？目前我们还没办法证明它真正的功能和用途，但是作为装饰，还是非常有可能的。看看下面两张三角龙头部图片，你觉得如何？

 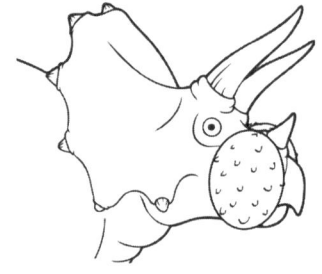

这也是科学界讨论的热点问题。如果真是这样，三角龙，乃至所有的角龙都会变得更加酷了。

三角龙的鼻腔里充满了空气，这个听起来很奇怪，也很难想象。但是我们现在就有少数相似的物种，其中两个特别著名。一个是军舰鸟，有着巨大的红色充气喉腔；另一个是冠海豹，它的左鼻腔有一个可充气的皮囊。

第六章

恐龙快闪

进化军备竞赛

进化军备竞赛有点像没有比赛规则的游戏，失败者不能重新开始，只能受伤或死亡。最好理解的方法就像这样——如果一个被猎杀的物种演化后使它更容易逃脱掠食者，那么接下来掠食者将演化得更容易杀死猎物。然后，猎物再次演化，掠食者也如此……

但它并不总是只在掠食者和猎物之间发生，有时演化的军备竞赛也发生在同一个物种内部。以马鹿为例，这些美丽的哺乳动物演化出一系列的适应，确保每只雄性马鹿都有最好的机会占据主导地位。它们长着巨大的鹿角，角上有锋利而致命的刺。它们可以用角战斗，也会造成重伤或死亡。角更多是用来炫耀而不是打架的。通常情况下，角上分叉最多的雄鹿会成为首领。即使不是这样，马鹿也会采取一系列的行动判断另一方的能力，以此展现自己的实力。这些测试方法通常会发挥作用，否则它们就会大打出手了。虽然我们并不确定，但像三角龙这样的群居性恐龙，表现很可能和马鹿一致。

有时候，动物最大的威胁不是来自掠食者，而是来自同类。三角龙就面临这样的威胁。没有什么可以把正在打斗中的两只成年雄性三角龙分开。

战斗开始

一群三角龙出现在河边，河水潺潺，巨大的鲇鱼和不知名的锯齿鱼游荡在浅水中长长的绿草间。河岸的沙滩很宽阔。数百只三角龙聚集在那里，它们以植物为食。年轻的三角龙在浅水嬉戏。有不同大小的三角龙，还有带着小恐龙的三角龙妈妈。其中也有许多雄性三角龙，它们多是以家庭为单位的族群，最大的一个有 20 个成员。每个族群的首领是一只雄性三角龙，它会保护它的族群，也会和雌性交配，所以一个族群中的所有小恐龙都是它的孩子。在危急关头，首领会一直战斗到死。

一个大族群由一只名为"河滩主宰者"的雄性三角龙保卫着，它是河滩上最大的雄性之一。它

身形巨大，重量超过 10 吨。当它年幼时，曾被暴龙攻击，它的左角尖折断了，还丢失了一大段尾巴。它统治了这个河滩很多年。当它在吃一些柔软的蕨草时，抬起头看到另一只雄性恐龙走过河滩。这个新来的挑战者还没有它自己的族群，想要挑战已经拥有族群的雄性。它想战斗。它比河滩主宰者年轻，体形也非常大，这两个雄性都有非常强的进攻性。

河滩主宰者沿着浅滩行走，并印上它的足迹，同时踢石头和泼水。新来的停下来一秒钟，然后也故意踢沙，迈着以夸张的僵硬步伐。它们相互靠近直到仅相距几米，然后河滩主宰发起挑战，新来的咆哮着回应，接受挑战。

它们都知道，一旦开战，它们会受伤或死亡。所以相反地，它们选择展示自己的力量。它们并排走着，将头贴近地面，再高高扬起，同时摇晃着脑袋。两只三角龙都在看对方的角和颈盾。谁拥有最大的角和颈盾，谁就可能是最强的——这就是我们所说的"显而易见的形象"。

河滩主宰者左右摇摆着它的头，用后腿踢着沙子，愤怒地甩动它的尾巴。如果新来的不退缩，一场战斗将不可避免。每个雄性都要身经百战。它们冲上前，将角抵在一起，它们的脚掌向后抵着沙堆，彼此都发出咕噜声，试图威胁对方，并赢得战斗。但它们力量不相上下。

当它们的角紧紧地抵在一起，在河滩上来回纠缠、猛烈碰撞时，其他三角龙会避开它们。就在它们搏斗时，新来的撞上了一只幼小的三角龙，一下就把它撞到河里了。

两个大家伙再次碰撞，河滩主宰者的角径直朝着对方的面部刮去。新来的流血了，它向后退并再次冲向对手，试图把角猛地刺入河滩主宰的肚子并杀了它。

河滩主宰者为避免这致命一击而转弯，但在浅滩上一片湿滑的杂草上滑倒了。它单腿跪地，此时很容易受伤。新来的调整好角的方向冲向受伤的河滩主宰者，准备杀掉它。它抬起头，把角对着新来的撞了过去。

河滩主宰者扭着头，用它未损坏的右角刺穿了对手的胸部，击中了一根肋骨，并使它断成两半，而这个角也断了。新来的在痛苦中挣扎几次，试图站起来。河滩主宰者折了的角仍然留在对手的体内，穿透了它的肺部，对其造成致命的伤害。

新来的呼吸急促，倒在了浅的河水中。而河滩主宰者仍继续将它展示给这个地区其他企图挑战它的雄性三角龙。鲜血从奄奄一息的新来者身上流出，染红了河水。

　　万不得已时，它们才会与庞大的具有攻击性的雄性三角龙进行决斗，接受挑战以展示它们的统治地位，这种仪式与今天看到的马鹿很相似。尤其当赌注很高时，战斗将不可避免。当两个全副武装的雄性为争夺领地或者为捍卫它们的族群而战时，这场战斗便会是致命的。

　　没有证据显示三角龙会有这些表现，或者会向对手显示自己的力量，但是现今的很多动物的确是这么做的。红鹿中的雄鹿边走边咆哮，它们炫耀它们巨大的鹿角，甚至会往自己身上小便，使自己"气味浓烈"。它们

也会将团块植物和杂草附到鹿角上，以确保它们看起来是最大最可怕的。你是否还能找到动物们互相展示的更多方法呢？

实操训练：
化石发掘者

这听起来可能很愚蠢：我曾经想，等我长大了，如果我在花园里一直刨土的话，最后会挖到一只恐龙。好了，别笑了。我那时候很小！但是这引出了一个重要的问题：为什么我们只能在某些地区发现一些特有的化石，而在另外一些地方根本找不到化石呢？

首先，一些恐龙和其他史前物种生活在非常特殊的地区。并不是说我多花多少工夫就能在英国找到三角龙化石，而是我一辈子都不可能找到。很简单，就是因为它们之前生活在现在的北美洲。另一个原因是因为特殊类型的岩石中才含有化石，而其他的岩石中则不含化石，你需要确定岩石的年龄是正确的。没错，所有的岩石都是古老的，但它们有不同的类型。

下面讲讲三大主要的岩石种类

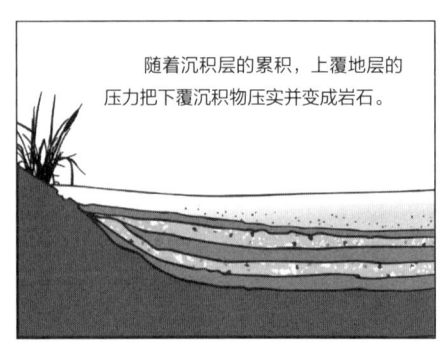

随着沉积层的累积，上覆地层的压力把下覆沉积物压实并变成岩石。

沉积岩

沉积岩是由泥、砂、卵石逐渐沉积形成的，一层上面又覆盖了另一层。多年以后，压力将这些层挤压在一起，最终把它们压成岩石。

石灰岩和砂岩是沉积岩的好例子。这些岩石对化石的形成非常有利。

火成岩

火成岩的学名来自拉丁语，意思是"火焰"，它有助于解释火成岩是从哪里来的。火成岩由岩浆冷凝形成，可能因为火山喷

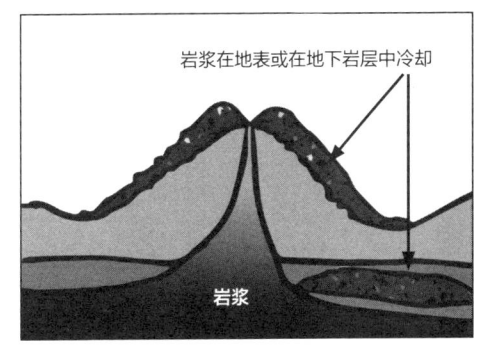

发形成，也可能在地球内部冷凝形成，总之，岩浆冷却并硬化后，就成为火成岩。花岗岩是火成岩的一个典型例子。

变质岩

当沉积岩或火成岩受到极大的热作用或者极强的压力时，会发生变质，成为变质岩。板岩、大理岩

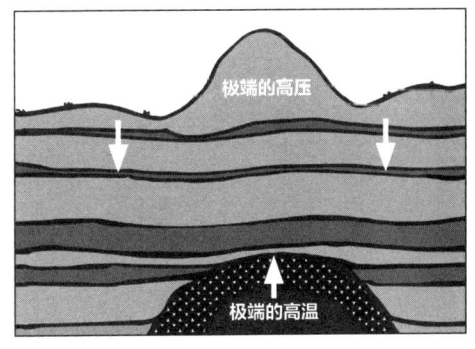

和片岩都是变质岩。有时在变质岩中会发现化石，但它们经常是被压扁的。

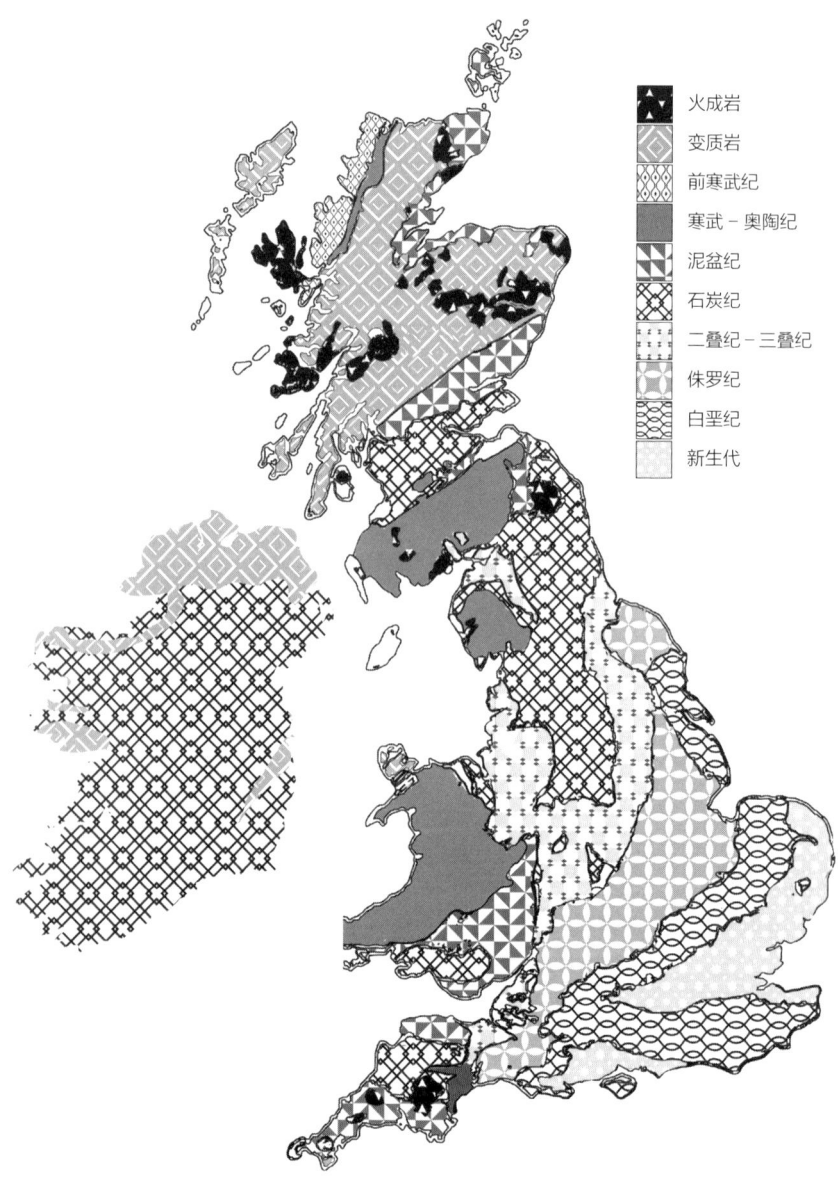

	火成岩
	变质岩
	前寒武纪
	寒武 – 奥陶纪
	泥盆纪
	石炭纪
	二叠纪 – 三叠纪
	侏罗纪
	白垩纪
	新生代

化石通常保存在沉积岩中。沉积岩的形成方式及其不容易随着时间变化发生很大的改变的特点，使化石得以很好地保存。砂岩由细小的经过侵蚀的岩石颗粒组成，而石灰岩由微小的生物遗体沉积组成。这两种沉积岩都很适合人们去发掘化石。

现在，你最需要做的就是能区分清楚这三种岩石，并且知道这些岩石在哪里，岩石形成的年代是何时。你在哪儿能找到侏罗纪的沉积岩，其中可能含有巨大的像上龙这样的海生爬行动物；或者哪里能找到白垩纪的岩石，里面富集了菊石和箭石化石？

看一看这张地图——不同的图案显示了发现化石的不同类型的岩石。想想你希望找的化石，做一些侦探工作。比如：你真的希望找到一个菊石，知道它们只存在于侏罗纪和白垩纪会对你大有帮助，那么在三叠纪的岩石里寻找是没有意义的。另外，想想动物是如何生活的。比如菊石是海洋动物，所以要去史前时期被海洋覆盖的地区寻找。这也就说明应该把注意力放在侏罗纪的海洋地而不是淡水河地区。所以说，寻找化石一定要记得考虑岩石的年代和类型，以及你要找的那种动物的生活习性。

下面给你一些在英国寻找各个种类化石的著名地点以及相应的岩石性质。

古近纪～第四纪

0.66 亿年前至今

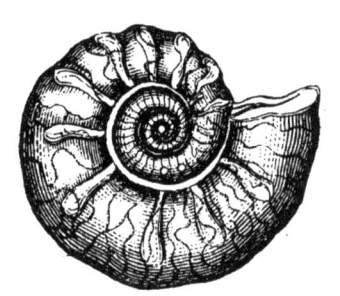

邦德诺（怀特岛）

希姆斯湾（肯特郡）

沃尔顿镇尼嵫海岬（埃塞克斯郡）

沃德珀因特（谢佩岛，肯特郡）

白垩纪

1.45 亿～0.66 亿年以前

比奇角白崖（东萨塞克斯郡）

德斯顿湾（多塞特郡）

亨斯坦顿（诺福克郡）

利特尔汉普顿（西萨塞克斯郡）

侏罗纪

2 亿～1.45 亿年以前

查茅斯（多塞特郡）

邓罗宾（萨瑟兰郡）

基默里奇（多塞特郡）

莱姆里杰斯（多塞特郡）

石炭纪

3.59 亿～2.99 亿年以前

克雷尔（法夫半岛）

金斯巴姆斯（法夫半岛）

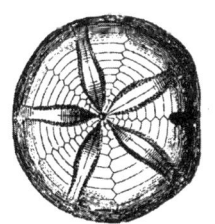

志留纪～泥盆纪

4.44 亿～3.59 亿年以前

马洛斯沙滩（彭布罗克郡）

小测试答案

第 26 页

· 现在世界上有多少种鸟类？

大约一万种。

· 三角龙和大象比，谁更大？

三角龙比大象要小。

· 我们现在已知的角龙种类有多少？

65 个。

· 三角龙有多少个角，长在哪里？

3 个。一个在鼻子上方，两个在眼睛上方。

· 在哪里发现的三角龙化石最多？

美国地狱溪组。

第 61 页

· 三角龙有多少个有效种？

两个，褶皱三角龙和普氏三角龙。

· **三角龙的前足有几个脚趾?**

五个。

· **三角龙大约有多重?**

6～12 吨。

· **三角龙生活在哪个地质时期?**

白垩纪晚期。

· **说出在三角龙生活时期的三种植物。**

木兰，玫瑰，红木。

你答对了多少?

专业词汇表

鼻：

鼻子及其周围的任何地方。（见本书第 66 页。此页为该词首次出现处，余同）

角龙类：

所有的角龙组成的大类别。三角龙、泰坦角龙、牛角龙和戟龙都是角龙类。

所有的角龙都有颈盾，头骨上至少有一个角。（见本书第 14 页）

马斯特里赫特期：

白垩纪的最后一个时期，长约 500 万年时间。大约始于 7210 万年前，结束 6600 万年前。众所周知的恐龙，如暴龙、三角龙和伶盗龙都是这个时期的。（见本书第 28 页）

侵蚀：

由于风、雨或冰等的影响，土地、土壤或岩石等随着时间的推移被迫坏。（见本书第 85 页）

生态（学）：

重点研究不同物种（动物、植物等）及其与坏境的关系的科学。（见本书第 35 页）

生态学家：

研究生态学的科学家。（见本书第 34 页）

适应性：

生物为增加生存或繁衍的机会（或两者兼有）发生的变化。它可能是身体

上的（比如斑马身上用来伪装的条纹），也可能是一种行为（比如狮子成群捕猎）。（见本书第 72 页）

四足动物：

用四条腿行走的动物。猫、狗、牛、三角龙都是四足动物。（见本书第 43 页）

微咸水：

淡水和少量盐水的混合物。微咸水通常存在于河口和潮汐河流中。（见本书第 28 页）

系统分类学：

一个学科，研究对不同物种和不同种类的生物进行分类的方法，重点在于把物种按群体间的联系来分组。（见本书第 2 页）

有效种：

被发现，并经过描述与发表，获得学术界承认的物种。（见本书第 15 页）

优势物种：

对其他动物有绝对生存竞争优势的动物。（见本书第 24 页）

植食性动物：

只吃植物的动物。（见本书第 23 页）